2023학년도 신우초 3학년 1반 지음

읽을래? 시집!

발　행 | 2023년 12월 12일
저　자 | 최정윤 엮음, 김선재,김지안,문근원,문서희,민수진,박은하,박채아,서예준,송민창,안광훈,오지후,이도훈,이서은,이서준,이아림,이주원,이하엘,임세아,임윤성,전재이,조형은,황주호,심하준,남주현,강지원,김시윤,송채민
펴낸이 | 한건희
펴낸곳 | 주식회사 부크크
출판사등록 | 2014.07.15.(제2014-16호)
주　소 | 서울특별시 금천구 가산디지털1로 119 SK트윈타워 A동 305호
전　화 | 1670-8316
이메일 | info@bookk.co.kr

ISBN | 979-11-410-5929-3

www.bookk.co.kr

CONTENT

(시를 싣는 순서는 편의상 제목의 가나다 순으로 담았습니다.)

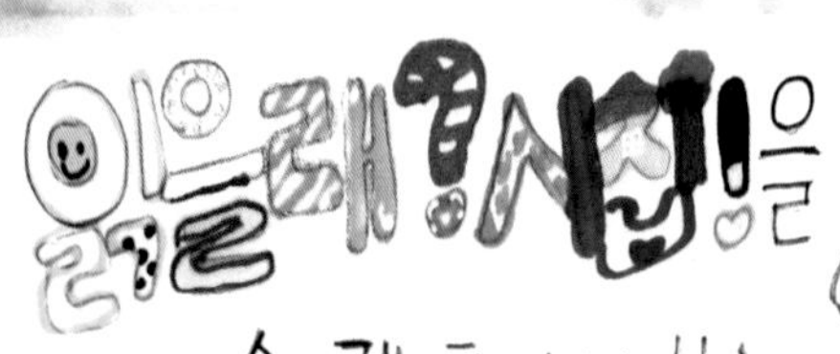

소개합니다!!!

•읽을래?시집!?

읽을래?시집!은 신우초 2023 3-1반 친구들의 시를 모아 만든 아주~ 재밌는 시집입니다. (시쓴 친구 26명, 1인 최소 4개)

•읽을래? 시집!이 나온 이유

3-1 반은 다같이 책을 만드는 달콤한♥ 상상을 한 적이 있습니다. 하지만.. 그 상상이 실제 책으로 나오는 상상은 하지 않았습니다. 그러던 어느날 책을 만들 계획을 세우고, 책의 종류(만화, 소설, 시집 등)을 투표로 정할때 시집이 되어 지금의 이 시집이 되었습니다^^.

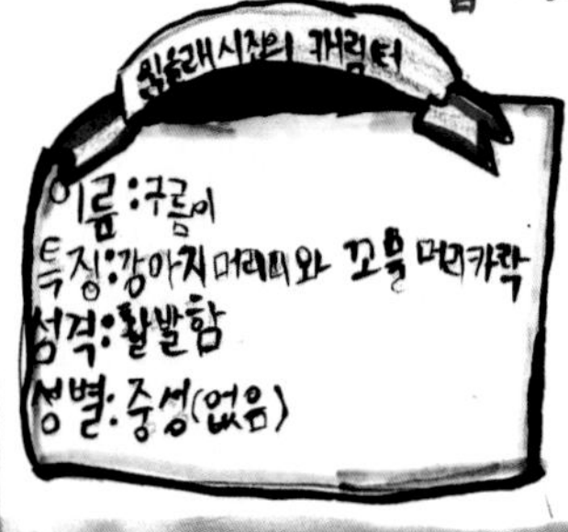

읽을래? 시집!을 만든

3-1반의 히스토리 (역사)

방학

3월 3-1반의 첫 만남

4월 3-1반 적응기

5월 온하실종사건

6월 체험학습(유적지)

7월 방학&과자파티

8월 개학

9월 생존수영

10월 운동회 &읽을래시집 계획

11월 선생님 안 계신 1주일

읽을래시집출판시험& 이별

재밌겠다.

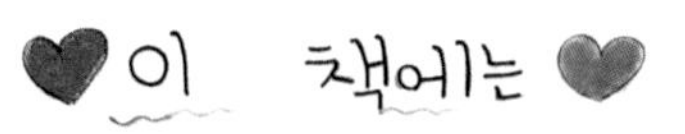

3학년 1반 친구들이
열심히, 정성을 다해 쓴
멋진 시들이 들어
있습니다.
재미있게 봐 주시길
바랍니다

회장 전재이

시를 읽으면 좋은 점!

김지은

1. 상상력이 풍부해진다.
2. 아이디어가 많아져 친구 중에 인싸!
3. 취미를 가질 수 있다!
4. 글 솜씨가 늘어 갈지 되
5. 시인이 될지도!

시쓰기

꿀팁!

1
일상생활
흔히 겪는 일상 생활을
시로 쓰면 공감을 얻
받는 시로 만들수 있습니다

2
물건, 음식 반려동물을
주제로 시를 쓰면 소재/
감상하는 시가 됩니다

3
표현
짹짹
동물
마지막으로 흉내내는
말을 넣으면 실감나는시
가 됩니다.

시쓰기의
달인

제1화 일상의 순간들

평범한 일상을 관찰하는
특별한 시선으로,
우리들의 이야기를
시로 표현해 보았어요.

가위

글·그림 조영은

싹둑싹둑! 싹둑싹둑!
뾰족한 가위의 날
뾰족한 가위의 성격은
가위질을하면 예쁜
모양으로 변하는 변덕장이!
예쁜 색종이로 예쁘게
잘라야지! 어떤색을살까?

건조기와 세탁기

지은이 : 강지원

건조기와 세탁기는 쉬는날이 없다.
세탁기가 끝나면 건조기
월요일 · · · 금요일도
건조기와 세탁기는 쉴수가 없다.

옷 입으면 빨고 빨면 건조기를 돌리고
건조기를 돌리면 정리가 쉴틈이 없다.
세탁기를 돌리면 또 말리기
건조와 탁기는 불쌍하다!!!

게임기

송민상

공기 청정기 보다 작은
게임기
빛이 반짝반짝 나는
게임기

사람보다 조용한
게임기
웨이이잉 하고 우는
게임기
게임기는 정말 재밌다

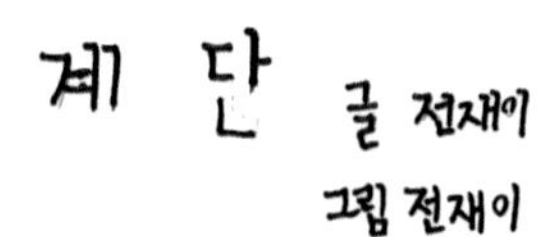

오르락 내리락 계단

올라 갈땐 내 발이 쿵 쿵 쿵

내려 갈 땐 내 발이 다다다다다다

이상하다

내려 갈땐 내 발이 다람쥐 발이 되는데

올라 갈 땐 내 발이 코끼리 발이 되어 버린다

곰 인형

글·그림·조형은

복슬복슬 푹신푹신
아빠가 작고 귀여운
곰인형을 사주셨다.
마치 살아있는 곰인형
친구가 되면 곰인형도
좋아하겠지?

교문

송민창

철컹철컹
교문
늦으면 드르륵
닫히는 교문
문이 꽝닫히면
큰일나는 교문

구슬비

글 남주현

여름장마에
비가오자
사람들이 우산을피자
우산색이 모이니
알록달록

갑자기 비가많이 온다.

우산이없는 사람이있다.
참 불쌍하다
그러나 우산을주고싶지 않다.
10분뒤
또 우산이 없는사람이있다

불쌍하다
내가 내 뛰어가서
우산을 줘야 되겠다
그자리에 도착하니
그사람이 가버렸다
나는허탈하다
다시 집에 가야한다

까끌까끌 모래

이하엘

만지면 따끔따끔
탁탁털고
발로 문질문질 스윽스윽
예쁜풀이 모래위로쑥
신발에있는 모래를 탁탁
까끌까끌

나의 하루

서예준

일어나면 6시30분 더자고 싶은데
아침 공부

학교가면 더 놀고 싶은데
공부

학교끝나고 학원 집에서 쉬고 싶은데
공부

집에가면 6시 야호! 신나게 놀다보면
8시30분 벌써 잘시간

날씨

임세아

변덕쟁이 날씨
아침엔 춥은데 낮은 덥다
비는 다 맞고 왔는데
끝나고 집갈땐 비가 사라진다

그냥 한 날씨로 가면 안되려나
변덕쟁이 날씨

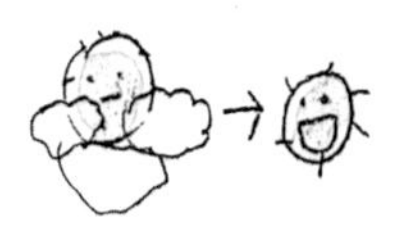

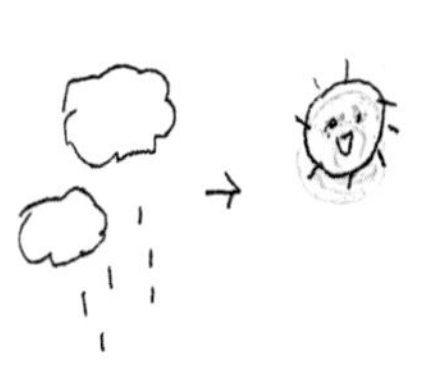

내 이름은 문근원

글 문근원

1 ㅈ재 아들 문근원
똑똑박사 문근원
카 군게 왕자 문근원
피줄 최강 문근원
귀띰 둥이 문근원
춤찰 추는 문근원
3-1 반 문근원
태권나래 문근원
싸나이 문근원

놀이공원
오지후
고르는데
1시간
다고르고
기다리는데
2시간
타는데는
3분
시간보면 6시

놀이터

글 전재이

그림 전재이

학교 끝나고 학원 끝나고
아이들이 신나게 달려 가는 놀이터

그네를 빙빙 미끄럼틀을 주르륵
시소를 쿵덕쿵덕 달리기를 씽씽

오늘도 놀이터는 왁자지껄 하다

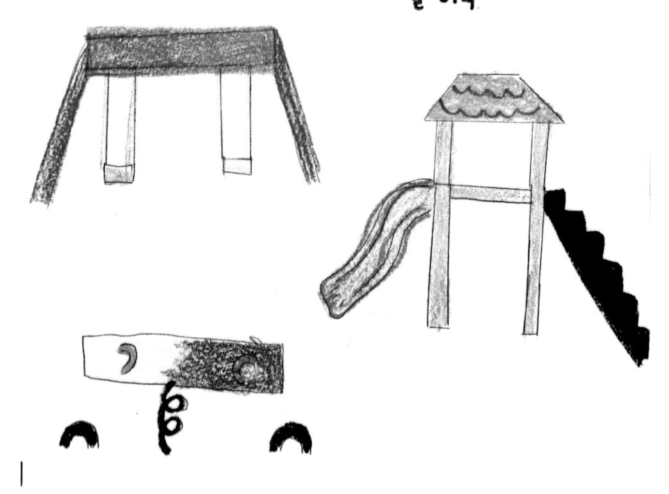

학교 놀이터

글 김시윤

수업시간에는 조용한 놀이터
쉬는시간에는 시끌벅적 놀이터
언제나 놀아도 재밌는 놀이터
여러가지 놀이기구가 있는 놀이터

늙은 축구공

글, 그림: 강지윤

가족들과 뻥! 뻥!
골키퍼는 퍽! 퍽!

그렇게 계속 놀다보면 공은
까칠까칠하고

실이 빠지고 바람도 빠지고
그렇게 놀다보면 공이 비닐이 된다.

축구공아! 많이 늙었네

다양한 색깔

글: 이하엘
그림: 이하엘, 이서은

알록달록 색깔

옹기종기 모여 있는 색깔
다양한 색깔
한개 한개 다 장점이 있다

빨간색을 색칠하면
하트가 나오고
보라색을 색칠하면
포도가 나오고
하늘색을 색칠하면
푸른 바다가 나온다
슥삭슥삭 색칠하면
모두 예쁜 그림이 나온다.

동그라미

송민창

동그라미
동글동글 동그라미
축구공은 동그라미
농구공도 동그라미
바퀴도 동그라미
시계도 동그라미
사과도 동그라미

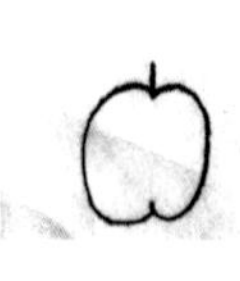
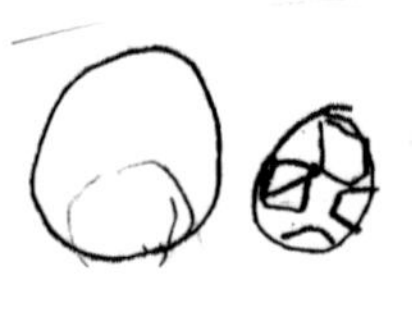

마니또

문서현

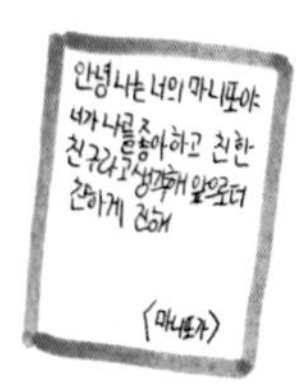

두근두근 콩닥콩닥 마니또
뽑을 시간 여자가 나올까
남자가 나올까?
난, 꼭, 여자가 나와야 해!
드디어 내차례 여자다!
심지어 친한 친구!
나 정말 행복해!

마니또

아림

도덕시간 마니또

으아, 들킬까 심장이
철렁철렁

마니또는 무엇을
좋아할까?

마니또는 내가
마니또일지 모르겠지?

마니또는 비밀친구

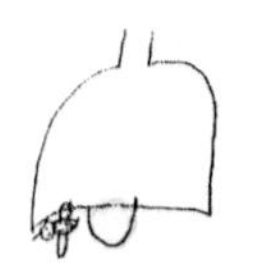

모기

임세아

윙윙윙 모기 잘때도 앵앵

불켰는데 조용한 모기
자는거 방해말고 피만먹고 가면 안돼나?

다시 불끄니 윙윙

아, 물렸다.

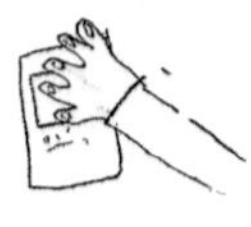

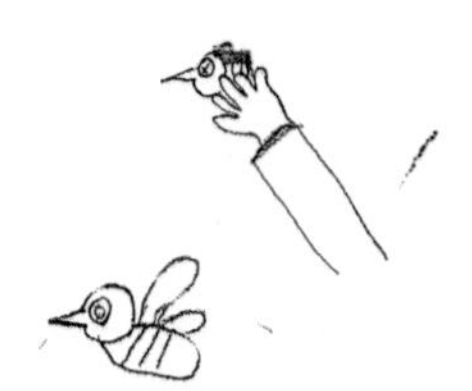

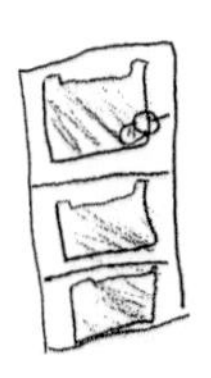

뭐 쓰지?

지은이 황주호

학교 운동장에 나왔다.
시를 써야 했다.
뭐 쓰지?

땀이 뻘뻘
스트레스가 팍팍
머리에 먹구름이 나타 났다.
우르르 쾅쾅

머리를 굴리고 굴려서
결국 다 썼다.

휴~

미끄럼틀

글: 박채아
그림: 박채아

길고긴 미끄럼틀
올라가긴 힘들지만
슝슝~ 재미있다

짧은 미끄럼틀
휭 엄청 빠르다.
바람타고 타는 미끄럼틀
쉬잉쉉 아이 시원해
미끄럼틀은 정말 재밌어

미술시간

글: 송채민
그림: 송채민

붓을 쓱쓱
종이에 쓱쓱
팔레트에 붓을 쓱쓱 하더니
캔버스에 그림이 쓱쓱
그림 하나가 뚝딱!!

별명

글 김선재

나의 이름은 김선재지만
이제는 별명으로 부르는 애들이 많아졌다.

선재킴
순대킴
김순대
김순대국밥
김별명 등등

우리 반에서도
내 이름이 선재킴이라고
부르는 애들도 많아졌다
하지만 나는 좋다

붓

글: 민수진
그림: 민수진

흐물흐물 붓

우리조상님이 썼던 붓

글씨도 재대로 못쓰는 붓

하지만 신기하고 재미있지

붓은 조상이 썼던 붓

빌려줄까? 말까?

지은이: 황주호

내 짝꿍이 연필을
빌려 달라고 한다.
빌려줄까? 말까?
짝꿍이 간절히 원한다.
땀이 삐질삐질

천사와 악마가
내 머리에 들어왔다.
빌려줄까? 말까?
천사는 빌려주라고 하고
악마는 빌려주지 말라고 한다.
내 짝꿍이 나를 흔든다.

꼭 이럴 때는
내 짝꿍이 괴물 같다.
에라이 모르겠다.
결국 빌려주었다.

뽑기

문서희

뽑기 문구점에서
뽑는다 드르륵_

편의점에서도
뽑았다 흑
라 면이다!

행사장에서
뽑는다. 당첨이다.

새벽

임세아

알람이 울린다

띠리링—

아, 잘못 맞췄다.

끄고 다시 자려고 했는데...

옆방의 오빠가 발로

쿵! 쿵! 쿵!

또 다시 자려하면

오빠 알람도 같이 따르릉-

사파리같은 동물원

문근원

서울 랜드
귀여운 얼룩말
긴 치한 타조
서 커스 원숭이
황소 같은 사자
하 이 라이트 호랑이
사 파리 같은 동물원

수영

글 이서준

첨벙첨벙 어푸어푸
50분동안 자유형, 배영
평형, 접형 중 두개를
하는 수영

수영을 하다가
물을먹어서
우엑 짜

수영이 끝나면
꼬르륵
너무 배고파

수학 단원평가

글: 황주호

후들후들
수학 단원이 끝나서
단원평가를 치러야 했다.
내머리는 새하얀
백지가 되어 버렸다.

후들후들
머리속이 텅비어 있는 것 같다.
땀이 삘삘

시험을 볼때면
지옥에 있는것 같다.
시험지는 악마
후들후들!!!

쉬는 시간

서예준

쉬는 시간 에는

블럭놀이를하는
사람도 있고

조용하게 책읽는
사람도 있고

슥슥 종이접기하는
사람도있고

멍하게 자리에
앉아 있는 사람도있다.

신나게 놀다보면
딩동 댕동 쉬는시간끝

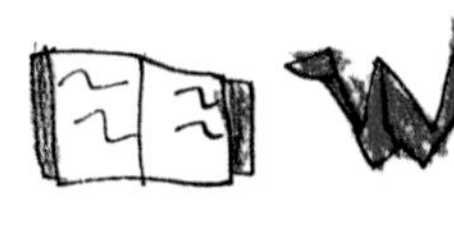

슬라임

글 : 안광훈

띵동! 드디어
기다리고 기다리던
슬라임!
촉촉 촉촉
말랑 말랑
미끌 미끌
아주아주 재밌다

시간

오지후

빨리 가라고
할때는
느리게 가고

느리게 가라고
할땐
헐래벌떡
뛰어 가는
청개구리같은
시간아..
제발 말좀들어...

시계와 알람

글그림 심타준

똑딱 거리는 시계

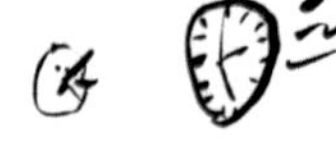

맨날 쉬지 않고

일하는 시계

똑딱 똑딱 똑딱

띠리링 띠리링

알람 울리는 시계

아침마다 띠리링

일어나라고 소리치는 알람소리

시계야 힘드니?

알람아 힘드니

시험

지은이: 이세준

두근두근
시험을
한문제씩
풀어나간다.

시험이 끝나고
쉬는시간
두근두근

아쉽다
99점

시험지

글: 김시유

두근두근! 시험보는 날
제일 떨리는 날
시험을 다 보고 내 마음은 편안
시험발표는 두근두근
백점맞은 시험지는 편안하다...!!
70점 맞은 시험지는 아쉽
10점 맞은 시험지는 엄마에게
혼날까봐 불안 불안

신호등

글 김지안
그림 김지안

깜빡 깜빡 신호등
반딧불이 처럼 빛나는 신호등
빨간색은 멈추기!
초록색은 건너기!
건너기 전에
이쪽저쪽 보고건너기!

신호등

글·조형은

깜빡 깜빡
기다리는 나를 놀리는 신호등
다다다 다다!
내가 달려오면 빨간불
휙!
내가 뒤돌아 서면 초록불

초록불을 위해 지킨다

슬금 슬금
남몰래 여행가는 변덕쟁이
빨간불을 찰석같이 믿는
초록불은 세상에서 제일 가는
변덕쟁이!

룰루랄라!

엘리베이터

글: 안광훈

학교 갈때도 숭타고
집에 올때도 숭타는
엘리베이터
버튼을 꾹 누르니
반짝반짝 불빛이 나오네
덕분에 아주아주쉽게올라가네

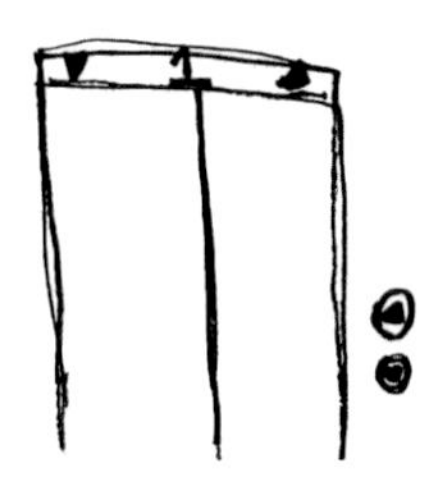

우리집 빨간 지붕

글 : 송채민

그림 : 송채민

빗방울이 똑똑똑
오늘 날씨 장마
우리 집 지붕에 똑똑똑
빨간 지붕에 똑똑똑
빗방울이 똑똑똑 떨어지니
우리집 지붕 밑으로 주르륵
빨간지붕 밑으로 주르륵

월요일

지은이: 강지원

금요일, 토요일, 일요일은 좋지만 일요일 밤이 되자
너무 화가 난다.

금요일 밤이 제일 좋은데 생각했다.
토요일도 좋다. 월요일 아침이 되자 슬프다.

학교갈 준비를 하면 그래도 좋은데
다시 학교에 오면 슬퍼진다.

학교가 5교시면 기분이 좋아진다.
하지만 학원을 가야한다.
나는! 왜! 바쁠걸까!

인라인

엄세아

하엘이 인라인을 빌려봤는데
처음부터 무릎에 돌이 들어갔는지
자꾸 엎어진다
인라인을 사서
아빠한테 배우니
돌이 빠졌는지
바퀴가 기름 바른것 마냥
활발하다

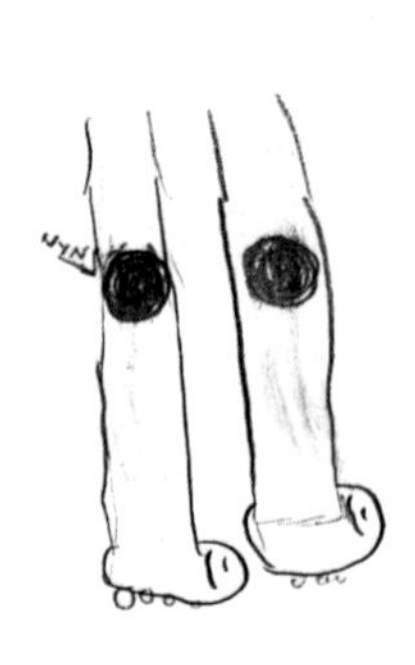

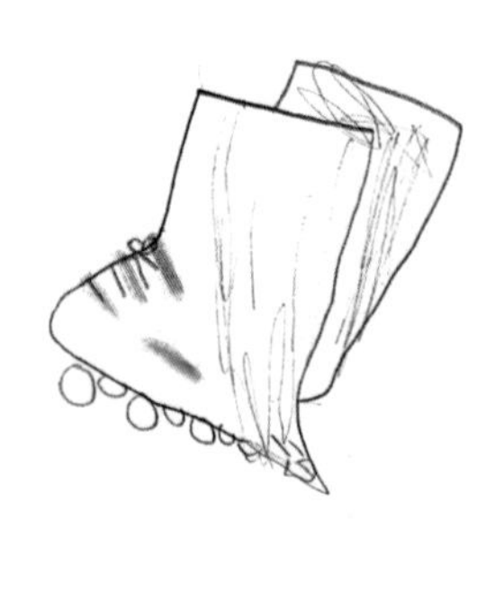

인형뽑기

송민창

인형 뽑기
뽑을 때마다
긴장되는 인형뽑기
잡힐 때 마다
떨어진다
놓치면 화가 나고
잡히면 뿌듯 하다

지우개

문서희

슥슥 지워지는 지우개
연필 글씨도 슥슥
네임펜 글씨는
끼이익
모두다지워 지는
지우개

추석

지은이: 이세골

추석 하 주전
경주로 출발!
3시간 30분동안
고생해서 도착

빨리 가서
쉬고 놀자
밤이 됐야.

보름달이다
소원 빌러야지
달님
엄마가
혼안내게
해주세요

축구

글 남주현

빵빵

친구들이 공을 차고 다닌다

시 골벅적

우리팀이 이기고있다

3분뒤

우미팀이 지고있다

잠시후 우리팀이 졌다

슬프다ㄲㄲ

끝나고나니 숨이헉헉

축구 골대

글 김선재

공을 차면 드르륵
소리가 나며 돌아가는
축골대

공을 맞으면 아파하는
것처럼 흔들리는 축구골대

그래도 넘어지지 않는 축구골대가
오뚝이 같다.

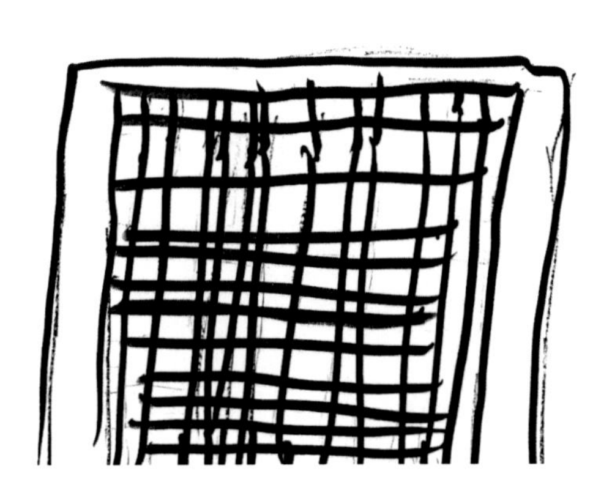

클레이

이서은

친구들이 클레이를 조물 조물

무언가를 만들어요.

그럼 나도 클레이를 조물조물

무엇을 만들까?

동물을 만들까?

음식을 만들까?

클레이는 참 재미있어.

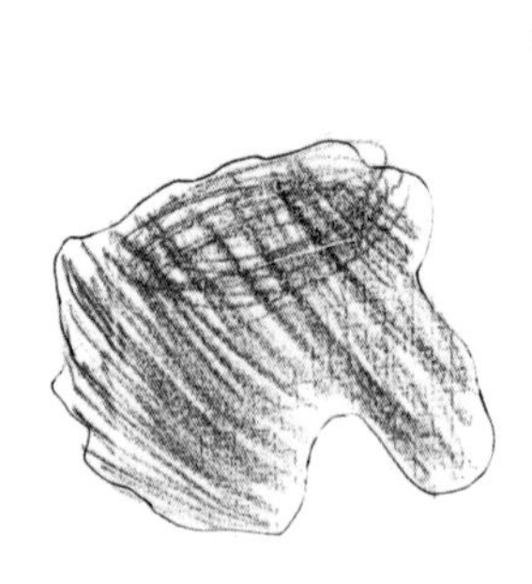

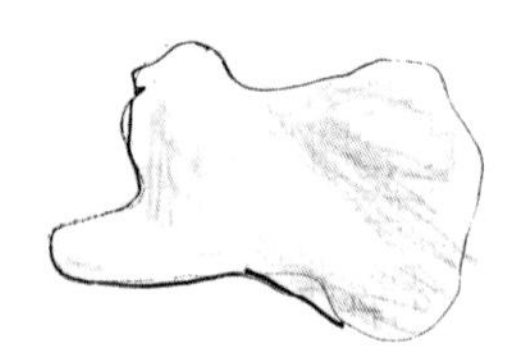

키보드

송민창

키보드
타닥타닥소리
딸깍딸깍소리
여러가지소리

키보드
알록달록 LED
한가지색 LED
여러가지 LED

투명

송민창

투명
아무것도 없다
만져도 느낌이 없다
박아 봐도 머리만 아프다
눈으로 봐도 안 보이고
차봐도 다리만 아프다
맞다. 아무것도 없다

트럭

글 김선재

붕 소리가 나는 트럭
덜컹 짐 소리가 나는 트럭
쌩쌩 지나가는 차에 비해
느릿느릿 가는 트럭

트럭이 힘들어 보인다.
힘내! 트럭

풍선

글: 송채민
그림: 송채민

놓치면 곧바로 하늘위로
도망치는 풍선
놓칠까봐 조마조마한풍선
가끔은
나무 위에서
만나는 풍선
매끈매끈
빛난다

학교

지은이: 이서준.

월.화.수,목,금 매일
하루도 빠짐 없이
가는 학교
쉬는 시간

점심시간이라도
있어서 다행

하교 하고
집가고 싶다
아직 1교시 ㅠㅠ

핫팩

글 : 이서윤

그림 : 이서은

앗! 추운 겨울

따뜻한 핫팩이 필요한 겨울

흔들 흔들 핫팩을 흔들고

따뜻해지게 주머니 에도

넣어도 빨리 따뜻해지지 않는

핫팩. 그래도

추울땐 핫팩이 최고야!

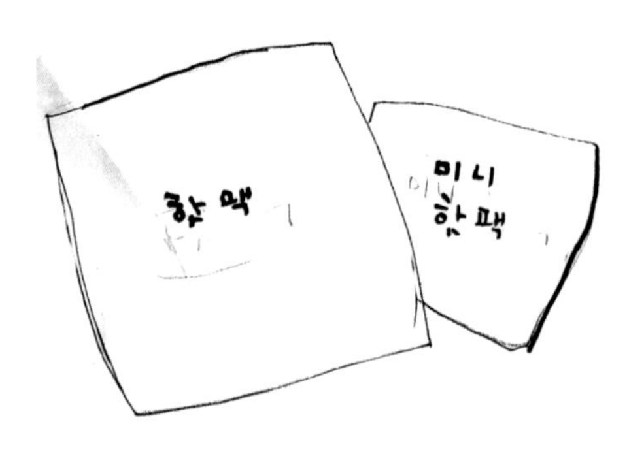

핸드폰

글, 그림: 강지원

전화, 메시지를 할수있는 핸드폰
하지만 전화기는 별로 좋지 않다.

하지만 아이들은 뿅뿅 게임을 한다.
그걸 보고있는 엄마들은 속이 터진다.

그만해!
엄마들은 숙제를 하라고 한다.

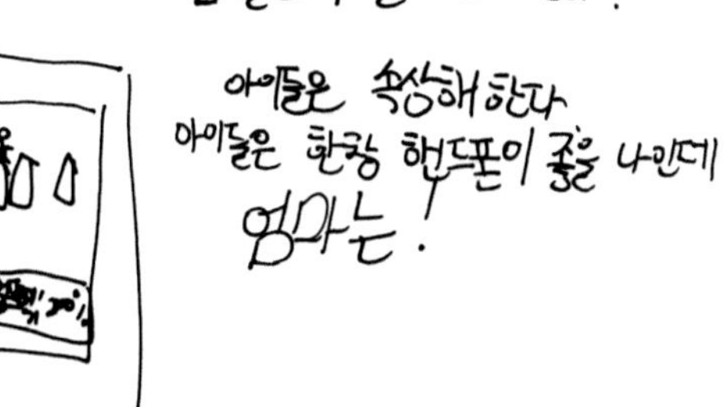

아이들은 속상해 한다
아이들은 한창 핸드폰이 좋을 나인데
엄마는!

오지후

오늘아침에
일찍
일어났다.

학교는..
5교시고
수학이 없다.

학원도
조금인

행운 가득
오늘하루에...
똥을
밟아
미끄러졌다..

이것도 행운일까?

학원

서예준

지루한 학원
공부를하는 학원
지루하게 공부

종류가 다양한 학원
운동/음악/수학/국어 등
없는게 없는 학원

숙제가 많은 학원
숙제가 끝이 없는 학원
하암~오늘도 학원

OO학원	OO학원
OO학원	OO학원

1월

송민광

1일
나에겐 1일이 소중하다
나에겐 1원이 1만이다
나에겐 1일이 나의 목숨이
달린 날이다
나에겐 1일도 감사한 날이다
나에겐 1일도 고마운 하루다

제2화 내가 좋아하는 음식

향긋한 음식이 실린 탁자 위에
아이들의 눈빛이 반짝이네요
색상과 재료가 어우러진 요리들은
아이들의 꿈과 상상을 자아내요

맛있는 음식은 아이들의 마음을
따뜻하게 만들어주는 마법같은 것
한 조각 한 조각, 한 입 한 입
아이들은 음식과 함께 자라나는 거죠

맛있는 음식으로 가득한 세상에서
아이들은 행복한 시간을 누릴 거예요

떠올리기만 해도 행복해지는
군침돌고, 생기가 도는
음식들을 상상하며

순수한 마음의 시를
감상해 보세요.

곰 젤 리

서예준

맛있는 곰젤리

하얀 파인애플 맛, 초록 사과 맛
상큼한 맛이 나지요.

빨간 딸기 라즈베리 맛
달콤한 맛이 나지요.

주황 오랜지 맛, 노란 레몬맛
시고 상큼한 맛이 나지요.

곰젤리 종류는 다양하지요.

과일

문서희

샤인 머스켓이 오도독
씹힌다.

귤이 주왁 까진다

레몬이 시큼하다. 으악!

사과즙이 나온다 콰사삭

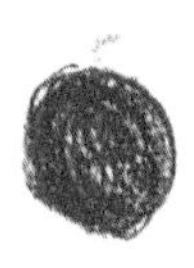

과자

와 과자다!
뭘 먹을까?

아님 매운맛 새우깡?
그것도 아니면
부드러운 마가렛?
그럼 매일 하나씩 먹어야지

떡볶이

지은이: 황주호

떡볶이는 슈퍼스타
미끌미끌 떡볶이
매콤매콤 떡볶이
냠냠 쩝쩝
떡볶이에 참기름을 발랐나
미끌미끌
떡볶이를 만들때
보글보글
떡볶이를 먹을 때
입안에 불이 붙은 것 같다.

라 면

글. 임윤성

호로록 호로록
맛있는 라면
콩콩콩
맛좋은 라면

스프냄새

한 젓가락 라면
두 젓가락 꺼억
다 먹었다.
생각 만 해도 신나는 라면
오늘 점심은 라면이다!

마라탕

글 남주원

얼얼한 마라 탕
나오는데 5분
드디어나왔다고

호로록 쩝쩝
정말 맛이있는 마라탕

30분후 다먹었다
이제 집으로

슝슝
집에왔는데
더먹고싶은 마라탕
질리지도않는 마라탕

바나나

서예준

노란 바나나
속이 흰 바나나

맛있는 바나나
달콤하고 말랑한 바나나

입에 들어가면
찐득 찐득해지는 바나나

바나나는 맛있지요.

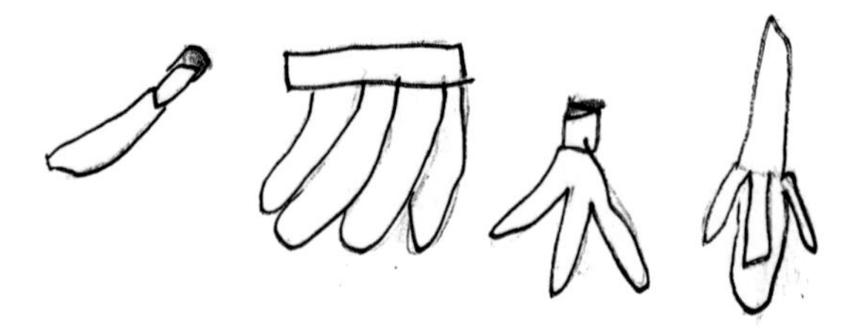

빙수

아림

앙큼상큼 빙수
달콤달콤 빙수
달콤 망고빙수
새콤 딸기빙수
맛있는 빙수
고소한 인절미 빙수
종류가 참 많은 빙수

빵

박채아

동글동글 고로케
길쭉길쭉 치즈빵
달콤달콤 초코빵
새콤달콤 딸기맛빵
아!
귀여운 곰돌이빵
우유도 콸콸
아~ 배불러

사과

이서은

아삭아삭한 사과
동글동글한 사과
새콤달콤한 사과
매끈매끈한 사과
사과는 동글동글한 공 같아.

사탕

글 박채아

새콤달콤 딸기맛 사탕
아이셔 레몬맛 사탕
아어달아 초코맛 사탕
톡톡튀는 콜라맛 사탕
콰 사 삭콰사사 맥주맛 사탕

사탕은 정말 맛있어

솜사탕

이하엘

동글동글
쪼접쪼접
달콤달콤 맛있는 솜사탕
달콤사르륵
푹신푹신 말랑 말랑
다 먹었다
아쉽다
다음에 또 먹어야지

송편

글: 안광훈

추석에 먹는 송편
냠냠냠 맛있는 송편
한 입 베어 무니 꿀이 나오네
아주 맛있는 송편
다른 음식보다 맛있는
송편

송편

글 : 이도훈

조물조물 말랑말랑 송편
조물조물 손으로 주물럭 주물럭
떡 안에 깨를 넣고

동글동글 만들면
맛있는 송편 완성!

내 손맛 송편을 먹으니
입이 저절로 흥이 난다

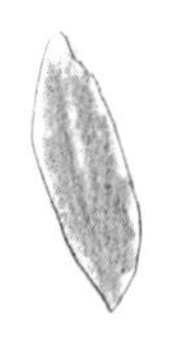

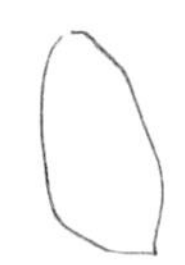

송편

임윤성

추석에 먹는 쫀득쫀득
맛있는 송편 입에 넣기만
해도 웃음이 절로 나온다

송편은 누가 해도 맛있다
정말 맛있는 달콤 달콤 송편

아이스크림
글: 민수건
그림: 민수진
달콤달콤 쵸코맛 쌍쌍바
고소한 우유맛 옥동자
새콤달콤 귤맛 생귤탱귤
톡톡 튀는 소다맛 빠삐코
뭘 먹을까?
쌍쌍바

내 젤리

오지후

젤리를 먹는데
들리는 소리
나 도! 나 도!
한개 만!!

여기하나,
저기하나
다 먹은 젤리

간식 잘 산지
죄인가?

젤리

글: 김지안

쫄깃쫄깃 젤리
초콜릿처럼 달콤한 젤리
말랑말랑한 젤리
입속에서 이리저리
돌아다니며
스르르 사라진다.

주스

글 : 민수진
그림 : 민수진

톡톡 터지는 사이다

따가운 콜라

아이셔 레몬주스

아이써 커…피

너무달아 초코우유

맛있는주스

초콜릿

글: 강지원

초콜릿을 먹으면
사르르 녹고 부서진다.

초콜릿 우리 누나
우리누나를 먹으면 사르르 녹는다.

초콜릿은 사랑을 닮았다.
초콜릿은 사람들을 유혹한다.

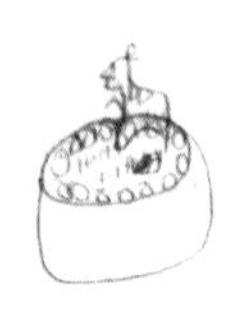

케이크

임세아

몽실 몽실 케이크
냄새를 맡아 보면
달콤한 향이 내 코를 덮어준다
빵이 포근하게 크림 이불을 덮어서
달콤한 향이 나는것 인가보다.

탕후루
글: 박채아
그림: 박채아
탕후루 가게가기 1일전
너무 설래다.
뭘 고르지?
뭘먹지?
아~빨리가고 싶다.
드디어 바로 앞
드디어들었 갔다
받고먹었다
아~천국의 맛

포도

글 그림 김서윤

포도는 동글동글 내 얼굴

작은 내얼굴

포도는 새콤달콤

포도는 큰 블루베리

블루베리와 비슷한 포도

피자

글 그림: 민수진

쭉쭉 늘어나는피자

짭짭한 피자

달콤한고구마피자

피자는 맛있고

짭짤해

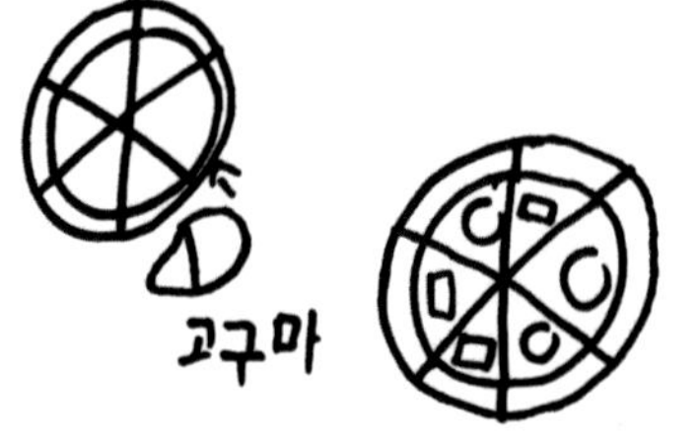

제3화 자연과 함께

바람에 흩날리는 작은 씨앗들이
새로운 생명을 품고
희망을 안겨주듯
자연 속에 안긴 아이들

나무들의 그림자 아래서
아이들은 꿈을 꾸어요

자연과 함께하는 놀이는
아이들에게 큰 선물이에요

자연의 속삭임을 듣고
아이들은 행복에 빠져들어요
마음을 따뜻하게 만들어요

아이들이 귀 기울이며 듣고
영혼으로 느낀
자연의 소리를
온몸으로 경험해 보세요

가을 박은하

가을은 가을은 노란색
은행잎을 보세요
그래그래 가을은 노란색
아주 예쁜 노란색
아니 아니 가을은 빨간색
단풍잎을 보세요
그래그래 가을은 빨간색
아주 예쁜 빨간색

가을 바람

글: 이도훈

휭 휭 부스럭부스럭
바람과 낙엽이 싸운다

낙엽은 다른데로 간다고
안 달이 나고
바람은
여기 있는다고 안 달이고

정말 많이도 싸운다.

가을

글 이서은 그림 이서은

가을엔 바람이 씽씽.

부스락 부스락
나뭇잎을 밟고
나무에서 뚝 바닥으로
떨어지는 나뭇잎을
잡아 보기도 하고
데굴 데굴 굴러오는
도토리를 잡기도 하는 가을.
가을은 참 좋아.

가을

글: 임윤성

여름 이 가고
가을 이 왔다

나무 가 흔들흔들
바람 이 시원시원
아이들은 시끌벅적

가을에 추석이
두근 두근 설렌다

활짝 웃는 할아버지를
빨리 만나면 좋겠다

가 을

조형은

알록 달록 가을이
옷을 갈아 입어요.
푸스락! 내가 단풍잎을
밟으면 은행잎이 팔랑!
내려 와요.
휘이잉! 가을이 화나면
쌀쌀하지만, 행복하면
나들이를 갈수있어요.

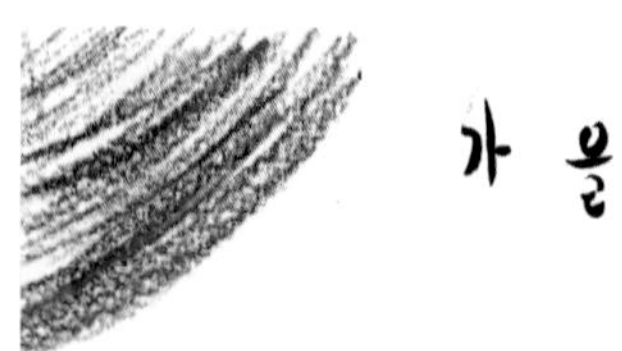

가 을

글그림 : 심하늘

가을마다 찾아 오는 가을 바람

휘 휭 휘이잉 휭

바스락 거리는 낙엽

바스락 바스락

가을아 가을아 이번에는

무엇을 가져올거니?

가 을 길

글 전재이

그림 전재이

낙엽이 팔랑 팔랑 떨어진다
가을 바람이 낙엽들에게
휘잉휘잉

가을 바람 비행기를 태워주면
낙엽들은 신이나서 바스락 바스락
목적지에 도착하면

낙엽들이 팔랑팔랑
비행기에서 내린다

가을바람

글 이주원
그림 이주원

벌써 가을이 왔다.
가을 바람이
휘익휘익
가을 비가
후드득 후드득
가을은 언제 어디서도
따듯따듯

가을바람

이하엘

바람이 꽃한테 안녕하네
꽃은 살랑살랑
바람이 나무한테 안녕
나무도 살랑 살랑
폭포수물이 쪼르륵
바람이 모두안녕

가을하늘

임세아

가을하늘

가을 하늘에서는
바람이 달리기를 한다.
바람은 가을이 좋은지
가을을 대부분 따라온다.
겨울한테 잘 준비 해야하겠다

강아지

글·아림

엉뚱한 강아지

산책을 좋아하는 강아지

귀여운 강아지

키우고싶은 강아지

활발한 강아지

눈망울이 큰 강아지

개미

지은이 ; 이서준

쫄쫄쫄 개미 작지만
강하고, 무리로 다녀서
천하무적개미

작아서 귀여워보이지만
덜덜덜 실제로는
무서워

으앙따가워
개미한테 물렸어
....

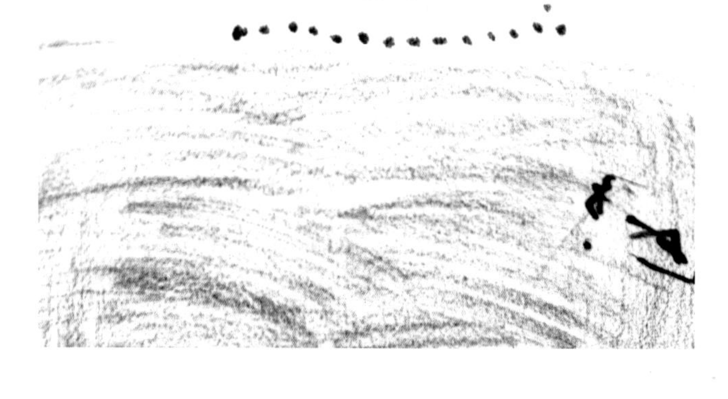

게임방

글 : 민수건
그림 : 민수건

게임이 뿅뿅뿅
오락실이 뿅뿅뿅
PC방이 뿅뿅뿅
컴퓨터가 뿅뿅뿅
엄마의 내등짝은…
짝짝짝
엉엉엉

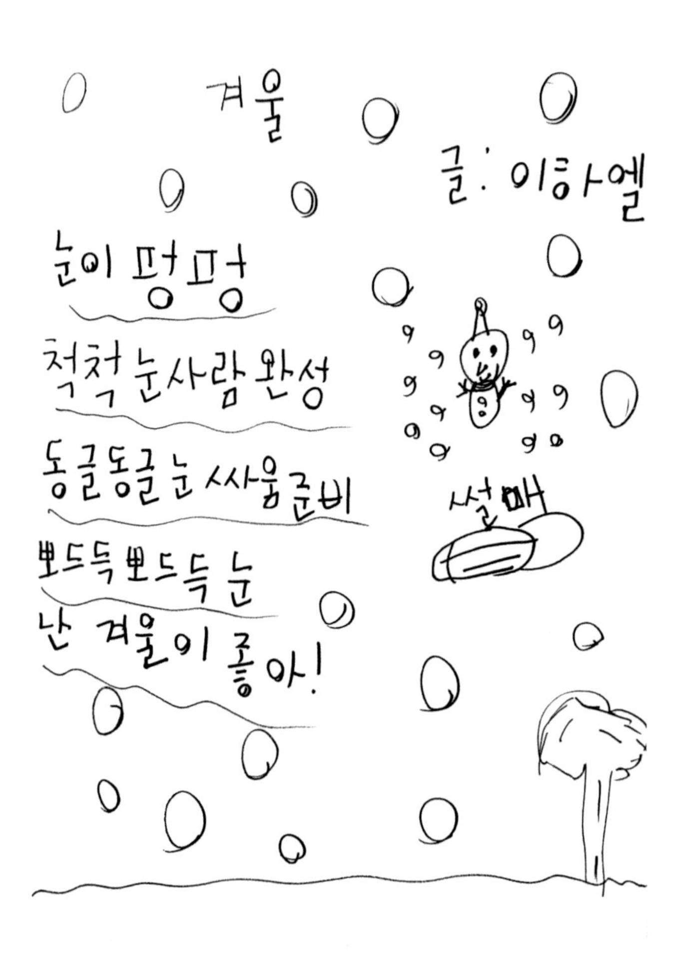
겨울
글: 이하엘
눈이 펑펑
척척 눈사람 완성
동글동글 눈 싸움준비
뽀드득뽀드득 눈
난 겨울이 좋아!
썰매

고추잠자리 박[illegible]

윙윙윙윙 고추잠자리
이리저리 놀러미 윙윙

윙윙윙윙 꼬마아가씨
이리저리 쫒아가며 윙윙

파란하늘에 높[illegible]
흰 구름만 가[illegible] 떠 있고

바람도 없는 가을 한낮에
꼬마아가씨 어딜 가시나

구름

오지후

멍 때리고

하늘을보면
몽글몽글
구름

만지고
싶어도
만질수없고

먹고 싶어도
먹을 수없는
아주 참~
답답한 구름

글·아림
3-1

만지면, 몽글몽글 할것같은 구름.

누우면, 푹신푹신 할것같은
구름.

누워 자장가를 엄마가
불러주면 잠이 솔솔
올것같은 구름.

보면 볼수록 하늘을 나는
것 같은 구름.

난 구름이 정말 좋아!

제목 구름

글: 이주원

하늘에서 보이는 구름
얼마나 말랑말랑 할까?
정말 만져보고 싶다.
몽글몽글한 구름
한 번 먹어보고 싶다.

나무

글·그림 : 이주원

사계절 마다 나무는
옷을 갈아 입는다.

봄은 따뜻따뜻한 벚꽃나무
여름은 초록색으로 물든 나무
가을에는 새빨간 빨간색과 노랑색 단풍나무
겨울에는 나무가 옷을 벗는다.

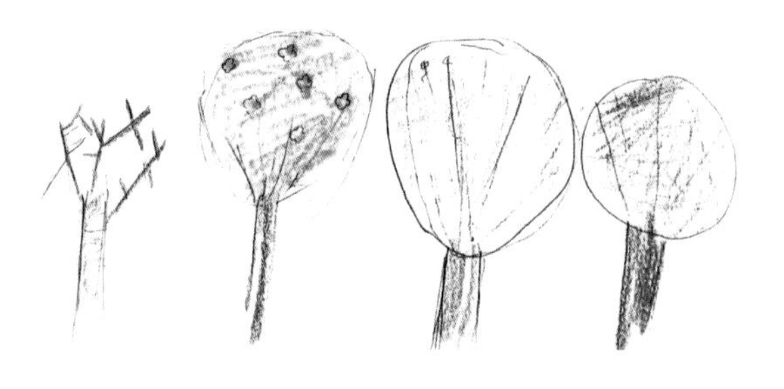

나 무

글 전재이
그림 전재이

맑은 가을 날 살랑살랑
가을 바람이 나무에게 인사하면
나무도 흔들흔들 가지를 흔들며
가을 바람에게 인사한다
휘잉 휘잉 가을 바람이
더욱 반갑게 인사하면
찰랑찰랑 나무도 더 반갑게 인사한다

나무

글남주현

쑥쑥 크는나무
쭉쭉 크는나무

무럭무럭 잘커진다
100년후
무럭무럭큰나무가
사들었다

눈꽃

글·그림·조[illegible]은

겨울에 활짝 피는 꽃
눈 나비와 눈 벌을 기다리는
불쌍한 눈꽃
여름이 되면 녹고.
겨울이 되면 만들어지는
나의 눈꽃.
내가 가자 벌써
녹는 불쌍한 나의
눈꽃

다람쥐

글: 강지원
그림: 강지윤

나무통 안에 다람쥐가
쏙쏙 숨는다.

도토리도 땅에
다람쥐가 숨긴다.

다람쥐는 달리기도
빠르다.

다 다 다 다 다

나도 다람쥐를 보고 싶다.

단풍

지은이: 안광훈

휭휭 바람이 부네
단풍이 떨어지네
빨간색
주황색
노랑색
갈색
색깔이 알록 달록
무지개 같은 단풍
바사삭 바사삭
단풍밟는 소리

단풍

글. 김시윤

알록달록 단풍

사그락사그락 단풍

매끈매끈 단풍

가을을 좋아하고

예쁜 단풍

가을바람이 인사하면

나뭇가지 흔들려 떨어지는 단풍

가을한테 인사하는 단풍

단풍잎

문서희

주황색 노란색,
여러가지 색의
단풍잎

다이 빙하는 사람 처럼
떨어지는
단풍잎
휭
내 머리에 떨어졌다.

마치 나처럼

글·아람

달팽이는 느려.
마치 나처럼

강아지는 엉뚱해.
마치 나처럼

포도는 알맹이가 많아.
마치 감정이 많은 나처럼

이젠 나비처럼 날아보고싶다.

모래

글 : 안광훈

까끌까끌 모래
자글자글 모래
모래놀이 하자

드륵드륵 모래
부들부들 모래
모래놀이 하자

모래놀이는 재밌다

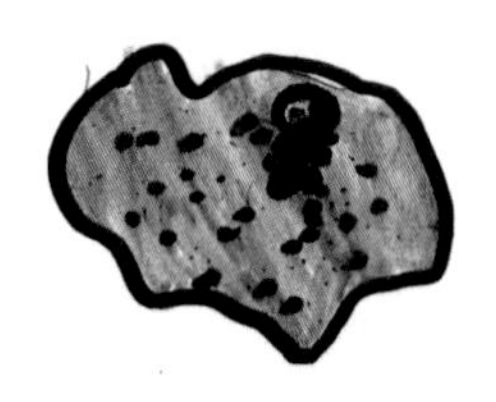

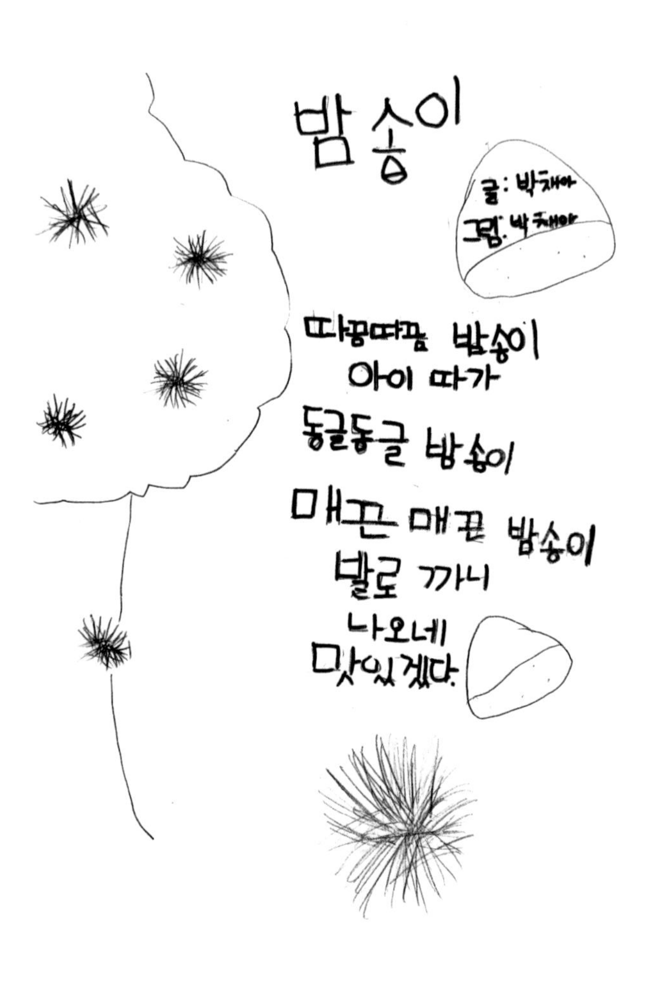
밤송이
글: 박채아
그림: 박채아
따끔따끔 밤송이
아이 따가
동글동글 밤송이
매끈 매끈 밤송이
발로 까니
나오네
맛있겠다.

별과 달

글 : 이주원
그림 : 이주원

밤만 되면
별과 달이 나타난다.

별과 달은
밤에 빛을 낸다

반짝반짝
밤에 유일하게 빛을 내며
사람들을 도와주며 빛을 낸다.

〈봄〉

봄봄 봄이 왔어요~ 봄은 참 따듯하지요

봄의 새싹은 비가 오면 빗물을
마시지요~

봄엔 예쁜 분홍빛 벚꽃이 피지요~

봄엔 뛰어노는 아이들 소리가
시끌벅적~

봄의 날씨는 참 예뻐요~

빗방울

글: 이주원

비가 내린다
빗방울이 톡톡
비가 올때는 빗방울들이 춤을 춘다
우르르 쾅쾅
천둥도 빗방울과같이
춤을 춘다

사계절
봄은 황사가 펑펑
여름은 햇빛이 쨍쨍
가을은 바람이 휘휘
겨울은 눈이 펑펑

사계절 나뭇잎

봄은 분홍색이고
여름엔 연두색 인 것?
나뭇잎
가을엔 빨강색 인 것
겨울엔 볼수 없는 것
나뭇잎
그렇게
사계절 나뭇잎

아기펭귄아

박은하

아기펭귄아
아기펭귄아
물가 [illegible]

아빠펭귄

아름다운 가을

글: 김지안

아름다운 가을
낙엽은 반짝 반짝
시냇물은 첨벙 첨벙
내얼굴은 방긋 방긋
자꾸만 웃음이 새어나온다.

여름

서예준

더운 여름 땀이 줄줄
날씨가 참 덥지요.

모기가 왜애애앵~
아주 끈질기게 따라 다니지요.

여름방학은 번개처럼 쌔애앵
빠르게 지나가지요.

여름에 나오는 달콤한 과일
달콤한 맛이 나지요.
여름은 좋은 계절 이지요.

은행
오지후
구릿구릿
지뢰폭탄
은행
똥냄새보다
구린
은행
그런
은행을
내발로...
콰직!
으악!

은행잎

이서은

나무에 데롱데롱
달려 있는 은행잎
툭 툭 떨어지고
툭 툭 떨어진 은행잎들이
가을바람을 씽~씽~
타고 날아 어디론가로
날아 가는 은행잎.

이슬의 여행

글: 이도훈

주룩주룩 비가오고
뚝뚝 풀잎에 이슬이 맺고

냠냠 쩝쩝 이슬을 먹고
땅속 여행을 간다

지렁이 버스타고
모래사장 지나
바다역까지 왔다

그리고 드디어 하늘로 다시 올라간다.

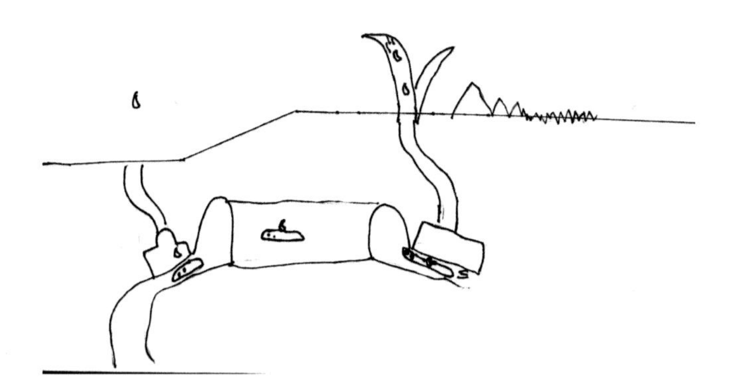

하 늘

글 전재이
그림 전재이

하늘에게도 생활이 있었나보다
오전과 오후에는 학교생활 하며
친구들과 함께 노는 기분의 파란색

저녁에는 친구들과 신나게 뛰어 놀아
더워서 울긋불긋 빨간색

밤에는 하늘이 눈을 감고 자서
검은색이 된다
하늘에게도 바쁜 하루가 있었다

하늘팝콘

글:송채민
그림:송채민

하늘에서 후두둑 팝콘 비가
내린다.

후두둑 후두둑 팝콘 비

이제는 하늘에서
팝콘을 튀긴다.

타다닥 타닥 타닥

타다닥 타닥 팝콘 튀기는 소리
팡팡팡 천둥소리

해

글: 민수건
그림: 민수건

반짝 반짝

해는 눈부셔

따가 따가
해빛을 많이 받으면

오들오들
해가없으면 추어

해는좋은해

따가

해바라기 우산

조형은

쑥욱! 쑥!
비가 주르륵! 주르!
비를 맞으며 커가는
해바라기 우산
벌써 나무 만큼 커서
비맞는 나를 막아 주고,
내가 좋아하는 씨가
우드득! 우득!
냠냠! 씨는 다 먹고
마지막 1개
쑥쑥 자라서 우산이 되주렴!

허수아비

지은이: 황주호

짹짹!
새가 운다.
새가 쌀을 먹으려고 한다.
짹짹!

그때, 새가 허수아비를
보고 날아간다.
허수아비는 귀신이다.
모든 새를 도망치게 한다.

하지만 허수아비는
착한 친구다.
새들이 앉아서 노래를
부르게 해준다.
짹짹!

제4화 가족과 함께

언제나 사랑과 관심 가득한 가족은
가장 소중한 선물이에요

같이 놀고 같이 웃으며
가족들과 함께 시간을 보내면
행복한 에너지가 넘쳐 흘러요

맛있는 음식을 함께 먹으며
가족들과 대화를 나눠요
웃음 속에는 사랑이 담겨 있고
눈빛으로 이야기를 나눠요

사랑하는 마음을 언제나 간직하며
행복한 이야기를 계속 만들어가요

가족

김지안

우리가족은 셋
친구들가족은 넷
나는 외동
친구들은 언니, 동생있는데
나는 외동
너무 외로운
외동
하지만
난
세상에
하나뿐인
우리가족이있다.

가족

글·남주현

화내는 가족

행복한 가족
웃는 가족
즐거운 가족
신나는 가족
여러 가족이 있다
지구에는 엄청 수많은
가족이 있다
가족은 다르다

강아지

군그길 [illegible]하준

귀여운 강아지 멍멍멍

복슬거리는 멍멍멍

만지고 싶은 멍멍멍멍

강아지는 귀염둥이

강아지야 왜 이렇게 귀엽니

이서준

우리는 남매다.
쿵쾅쿵쾅 우당탕탕
싸울 때도 있고
챙겨주기도 한다

하지만 왜?
나만 남자야
누나는 둘이고
동생은 때리고

나도 형제
하고 싶어

동생의 하루

글: 안광훈

동생이 아침에 기지개를 피면서 일어나네
동생이 화장실로 다다다다 달려가네
동생똥이 주르륵 흘러 가네
바나나 처럼 생긴 동생똥
동생편이 흘러 내리네
동생이 저벅저벅 유치원에 가네

따뜻한 우리 가족

지은이 : 문서희

나를 반겨주는 따뜻한 우리가족

나를 사랑해주는 따뜻한 우리가족

내가 사랑하는 따뜻한 우리가족

나를 껴안아 주는 우리 가족

사랑하고 운이 정말 좋은

우리 가족!

내가 찾아온 네잎클로버

네잎클로버는

우리가족

소중한 우리 가족

글: 김서율

소중한 우리가족
너무나도 소중한 우리가족
어디서나 같이있는 우리가족
행복한 우리가족
우리가족은 행복이다.

아빠

글 김선재

맨날 30분만 잔다고 하고
2시간은 자는 아빠.

맨날 화장실에 간다고 하고
2시간 뒤에 나오는 아빠

맨날 온갖 애를 태우며
나와 안 놀아주는 아빠.

그래도 가끔 놀아주는 아빠
그래서 아빠가 좋다.

우리 가족

세마

우리 가족
우리 아빠
가장 힘이 센 아빠
엄마
집안일을 해주시는
엄마

언니, 오빠
고3 언니,
중2 오빠
그 사이에 내가
태어났다.

우리 가족은 네잎클로버다

우리 가족의 장점

지은이: 이서은

동생은 키가 크고
착하다

우리 엄마는 예쁘고
요리를 잘한다

우리아빠는 화도 많이 안내고
끈기가 많다

우리가족은 나에게 아주
소중한 존재다.

우리동생

서예준

1학년 우리동생

키가 반에서 제일 큰 동생
키가 아~주 크지요.

집에오면 날때리는 동생
아~주 많이 때리지요.

화를 내는 동생
게임할때면 ! 화를 내지요.

우리동생은 참 이상하지요.

아침에 일어나면
내 배 위에서
간식달라고 야옹

하교하고
집에 가면
간식 달라고 야옹

학원끝나고
집에 가 면
간식달라고 야옹

쉴틈 없이 야옹
나도 좀 쉬자...

웃음꽃

글 신새이
그림 전재이

아빠의 웃음 소리는 푸하하학

엄마의 웃음 소리는 푸 후후우훅

동생들의 웃음 소리는 꺄하하하하 학

나의 웃음 소리는 파하하하하

우리 가족은 꽃이다

웃는 얼굴이 꽃 처럼 예쁘다

웃음 꽃이 피어 난다

포근한 사람들

글: 문근원
그림: 문근원

아빠는 일하고 와도
나랑 놀아준다

엄마는 바빠도
나랑 공부해준다

동생은 잔소리하면서
나랑 게임한다
인형같은 동생

형제

지은이: 황주호

툭 하고 건드리면
소리지르는 우리형
아무 짓도 안했는데
때리는 우리 동생

우당탕 탕탕
우리집은 매일 전쟁이 일어난다.
쿠션을 들고 빠악!

정말 아프다.

작가들의 말

시쓰기가 힘들었어요. 광준	시쓰기는 기억력이 좋아진다 민창	시쓰는 것이 힘들었지만 재미있었어요 -서은-	시쓰기를 쓰는 동안 너무 힘들었어요 -지윤-
시를 쓸 땐 힘들지만, 시집이 나오면, 정말 뿌듯할 것 같아요. >< -오지후-	시 쓰지 말고 시를 읽으세요 그래서 손이 아프고 좋아ㅋ 하늘	문근원 이 시집 작가들의 고생이 이해됩니다	민수진 시집을 만든 작가들 님께 감사해주세요 ^^
시를 한번 써보는것도 나쁜것은 아닌것같아요 시의 재미를 느껴보시길 바랍니다^-^ -아림	시를 못써 봤는데, 써 재밌었습니다 -윤성-	시 쓰는 게 생각보다 재미있었습니다. -김선재-	시 쓰는게 생각보다 재미 있었어요 -문서희-
시를 못써도 한번 도전을 해보세요. 그러면 실력이 저절로 늘어요 -주호-	시를 쓰는 게 귀찮았는데 점점 재미있네요. -하엘-	[illegible]	강일 3-1반이 열심히 썼으니 재미있게 봐주세요 주원
조금 이상한 점이 있어도 재미있게 봐주세요. -지안-	시를 써서 책을 만든다는 게 꿈만 같아요 -형은-	우리가 열심히 쓴 시랍니다 ㅎㅎ 재미있게 봐주세요 -재이-	시는 여러 분에게 도움을 줍니다 -주원-
우리 책을 재밌게 봐주세요. -예준-	모두의 시를 재미있게 봐주세요. 감사합니다 -서준-	책읽어주셔서 감사하고 시를 점점 쓰는것도 나쁘지 않네요. -세아-	책을 읽은 분은 시를 한번 써보세요. 저도 이 책을 쓰기 전에는 시를 쓰지 않았는데요. 쓰다보니 재미있었어요. -채아-
시간이 남는다면 시를 써보는 것도 좋을 것 같아요! 한번쯤 이라도 시간을 내보는 건 어떤가요? 우리반 작가님들! 고맙습니다 -채은-	생각보다 시를 쓰는 게 재밌네요 -서윤-		